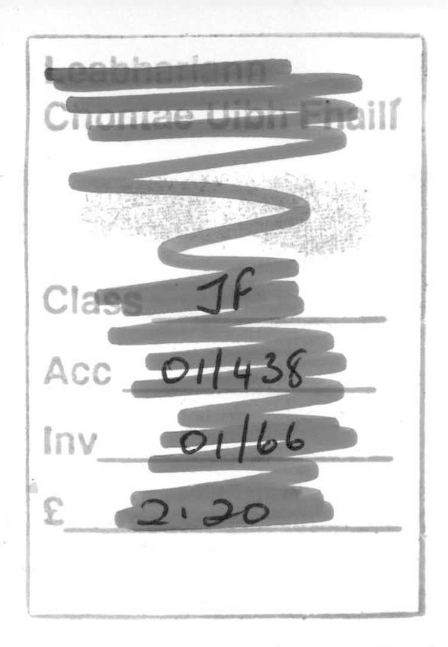

Leagan do pháistí 4 – 7 é seo

ISBN 1-85791-374-4

Printset & Design Teo. a rinne scannán an chló in Éirinn

Le ceannach ó leabhardhíoltóirí
nó orduithe tríd an bpost ó:
An Siopa Leabhar,
6 Sráid Fhearchair,
Baile Átha Cliath 2.

Orduithe ó leabhardhíoltóirí chuig:
ÁIS,
31 Sráid na bhFíníní,
Baile Átha Cliath 2.

An Gúm, 24-27 Sráid Fhreidric Thuaidh, Baile Átha Cliath 1

An Sionnach Glic agus an Chircín Rua

Peter Stevenson *a mhaisigh*

Treasa Ní Ailpín *a rinne an leagan Gaeilge*

Baile Átha Cliath

Bhí an Chircín Rua sona sásta.

Ní raibh an Sionnach Glic sona sásta.

Bhí ocras air.

Chuaigh an Sionnach Glic amach.

'Tá ocras orm,' arsa an Sionnach Glic.

'Cuirfidh mé an Chircín Rua sa mhála dubh.'

'Beidh suipéar deas cois tine agam,' arsa an Chircín Rua, 'suipéar deas liom féin.'

'Ó! Ó!' arsa an Chircín Rua.
'Is tusa an Sionnach Glic.
Is tusa an sionnach gránna.
Ní chuirfidh tú mise isteach sa mhála.'

‘Féach ormsa,’ arsa an
Sionnach Glic agus
chas sé timpeall
agus timpeall
agus timpeall.

‘Ó! Ó! Ó!’ arsa an Chircín Rua agus thit sí isteach sa mhála dubh.

Bhí an mála dubh trom.

Bhí tuirse ar an Sionnach Glic.

Thit sé ina chodladh sa choill.

Léim an Chircín Rua amach as an mála.

'Is tusa an Sionnach Glic.

Is tusa an sionnach gránna.'

'Ní fhanfaidh mise istigh sa mhála,' arsa an Chircín Rua.

Rith sí léi abhaile.

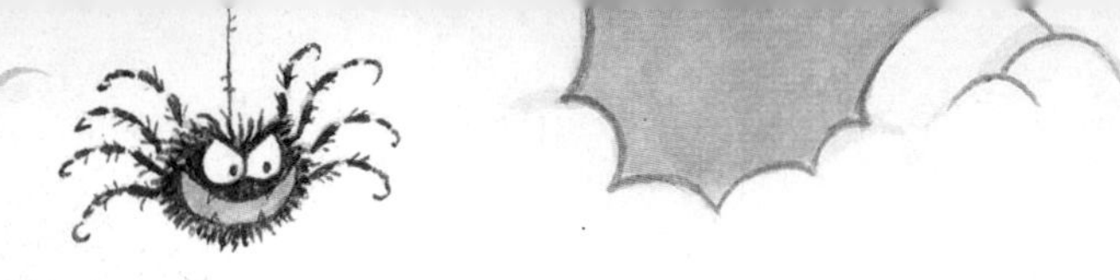

'Ní bheidh ocras orm anois,' arsa an Sionnach Glic.

'Beidh suipéar deas cois tine agam – suipéar deas liom féin.'

Splais!

Thit na clocha isteach san uisce te.

‘Á! Á! Á!’ arsa an Sionnach Glic.

‘Mo mhallacht ar an gCircín Rua!’

Maidir leis an tsraith seo leabhar

Leaganacha simplí de sheanscéalta atá sa tsraith seo leabhar a scríobhadh do pháistí atá ag foghlaim na léitheoireachta.

Oireann na leabhair seo do pháistí a bhfuil roinnt focal simplí ar eolas acu agus atá ábalta abairtí gearra a léamh cheana féin. Cuideoidh an t-athrá leo líofacht a bhaint amach sa léitheoireacht. Spreagfaidh na pictiúir spéis na bpáistí sa scéal agus cuideoidh siad leo an téacs a thuiscint.

De réir mar a rachaidh páistí trí na leabhair aithneoidh siad na focail agus na habairtí atá á n-athrá. Is féidir le duine fásta cuidiú leo trína n-aird a tharraingt ar thúslitreacha na bhfocal agus trí fhuaim na litreacha a dhéanamh dóibh. Foghlaimeoidh na páistí na fuaimeanna de réir a chéile.

Teastaíonn cuidiú agus spreagadh ó léitheoirí nua.